Cynnwys

☆ Huwi Honco ☆

Un tro, roedd gwraig weddw dlawd. Er ei bod hi'n gweithio'n galed ofnadwy, roedd ei phwrs bob amser yn wag.

Ac i wneud pethau'n waeth, roedd Huwi, ei mab, yn hen gena' diog. Byddai'n gorweddian yn ei wely drwy'r dydd crwn ac roedd o bron â gyrru ei fam yn wallgo.

Un dydd Llun, dywedodd wrtho: "Cwyd o dy wely y munud yma a dos i chwilio am waith, neu gwadna hi o'r tŷ yma am byth!"

Felly, doedd gan Huwi fawr o ddewis. Cododd o'r gwely a mynd i chwilio am waith. Aeth at ffermwr a chael ceiniog yn gyflog am weithio drwy'r dydd.

Ond yn ogystal â bod yn ddiog, roedd Huwi hefyd yn hurt. Ar y ffordd adref, wrth chwarae efo'r geiniog, gollyngodd hi i'r afon. Felly roedd yn rhaid iddo fynd adref yn waglaw at ei fam.

"Wel, yr hogyn honco!" gwaeddodd hi. "Dylet ti fod wedi rhoi'r geiniog yn dy boced, siŵr iawn."

"A dyna'n union be wna i'r tro nesa, Mam," addawodd Huwi. "Peidiwch â phoeni. Mi wna i hynny efo'r cyflog nesa."

Dydd Mawrth, cododd Huwi. Aeth allan a chael gwaith eto gan yr un ffermwr. Y tro yma, rhoddodd y ffermwr lond jwg o hufen yn gyflog iddo.

"Wn i'n iawn beth i'w wneud efo hwn!" meddai Huwi, a gwthio'r jwg i'w boced. Ond wrth iddo gerdded linc-di-lonc, roedd yr hufen yn slotian o gwmpas ac erbyn iddo gyrraedd adref, roedd y jwg bron yn wag.

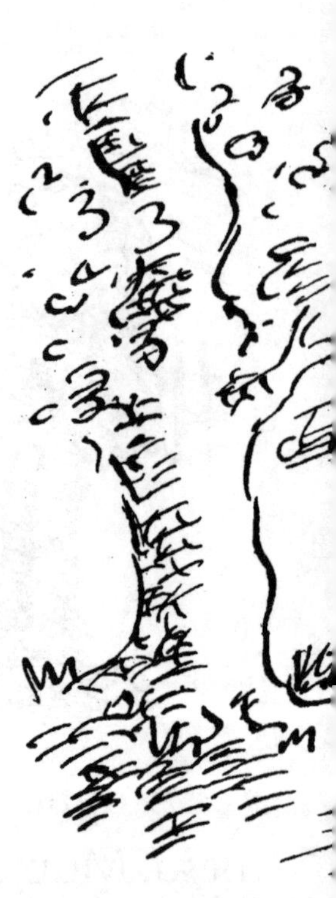

"Wel, y clown gwirion!" meddai'i fam wrtho. "Dylet ti fod wedi cario'r jwg yn ofalus ar dy ben."

"A dyna'n union be wna i'r tro nesa, Mam," addawodd Huwi. "Peidiwch â phoeni. Mi wna i hynny efo'r cyflog nesa."

Dydd Mercher, cafodd Huwi waith gan wraig y ffermwr. Rhoddodd gosyn braf o gaws gwyn, meddal yn gyflog iddo.

A wyddoch chi be wnaeth Huwi efo'r cosyn? Ei gario adref yn ofalus ar ei ben, wrth gwrs. Ond roedd yr haul yn boeth a'r caws yn toddi wrth i Huwi gerdded ar hyd y ffordd.

Rhedodd y caws i'w lygaid ac
i'w glustiau a thros ei wallt i gyd.

Pan welodd ei fam y llanast,
bron iawn iddi ffrwydro.

"Wel, y lembo gwirion!" meddai. "Ydi dy ben di'n hollol wag? Dylet ti fod wedi cario'r cosyn yn ofalus yn dy ddwylo."

“A dyna’n union be wna i’r tro nesa, Mam,” addawodd Huwi.

“Peidiwch â phoeni. Mi wna i hynny efo’r cyflog nesa.”

Dydd Iau, cafodd Huwi waith mewn becws a chael hen gwrcath mawr blin yn gyflog gan y pobydd.

Cododd Huwi'r cwrcath yn ei freichiau i'w gario adref.

Ond doedd y cwrcath ddim eisiau mynd. Sôn am hisian a phoeri, crafu a brathu! "Aw-w!" sgrechiodd Huwi, a gollwng y cwrcath ar ôl iddo ei gripio'n gas a thynnu gwaed o'i ddwylo.

Gellwch fentro fod gan ei fam ddigon i'w ddweud pan gyrhaeddodd Huwi adref.

"Wel, y twmffat twp! Pryd fyddi di'n callio? Dylet ti fod wedi rhoi llinyn rownd gwddw'r cwrcath a'i dynnu adref y tu ôl i ti."

"A dyna'n union be wna i'r tro nesa, Mam," addawodd Huwi. "Peidiwch â phoeni. Mi wna i hynny efo'r cyflog nesa."

Dydd Gwener, aeth Huwi i weithio at gigydd a chael darn o gig yn gyflog ganddo. Gwyddai Huwi'n iawn beth i'w wneud erbyn hyn. Clymodd ddarn o linyn am y cig a'i dynnu adref y tu ôl iddo.

Nid yn unig roedd y cig wedi'i ddifetha wrth gael ei lusgo drwy'r baw, ond roedd holl gŵn yr ardal wedi'i gnoi hefyd.

Felly, doedd dim cig ar gyfer cinio dydd Sul. Doedd gan ei fam ddim byd ond tatws. Druan â hi. Eisteddodd i lawr a beichio crio.

"Wel, y jolpyn mawr! Y crinc gwirion! Dylet fod wedi cario'r cig adref ar dy ysgwydd."

“A dyna’n union be wna i’r tro nesa, Mam,” addawodd Huwi. “Peidiwch â phoeni. Mi wna i hynny efo’r cyflog nesa.”

Y dydd Llun canlynol, cododd Huwi. Aeth allan a chael gwaith gan ffermwr arall. Am fod y ffermwr wedi'i blesio gan Huwi, rhoddodd ful iddo'n gyflog.

Wel, ella wir fod Huwi'n hurt bost, ond roedd o'n glamp o hogyn cryf ac yn gwybod beth i'w wneud y tro yma. Straffagliodd i godi'r mul ar ei gefn.

Doedd hynny
ddim yn plesio'r
mul o gwbl.
Dechreuodd
nadu'n uchel,
"Hi-ho! Hi-ho!"
Bu'n nadu a
nadu ar hyd
y ffordd.
Ond ymlaen
â Huwi
heb falio
fod y mul
yn strancio
ac yn ei
gicio'n
ddu-las.

Ar y ffordd, roedd yn rhaid i Huwi fynd heibio i gartref dyn cyfoethog a'i ferch hardd. Wel, byddai hi wedi bod yn hardd petai hi'n gwenu neu'n chwerthin weithiau.

Ond doedd yr eneth erioed wedi chwerthin yn ei bywyd, er bod llawer o bobl wedi gwneud eu gorau glas i'w chael i chwerthin.

Roedd ei thad wedi addo y byddai'r sawl a wnâi iddi chwerthin yn cael ei phriodi. Ond doedd hi erioed wedi gwenu hyd yn oed. Tan rŵan.

Roedd y ferch wedi gweld llawer o fulod efo dynion ar eu cefnau cyn hyn. Ond doedd hi erioed wedi gweld dyn efo mul ar ei gefn. Mul yn cicio ac yn strancio ac yn nadu, "Hi-ho! Hi-ho!"

Dechreuodd chwerthin ei hochr hi, ac ar ôl iddi ddechrau, fedrai hi ddim peidio.

Rhuthrodd ei thad yno, wedi dotio'n lân o glywed ei ferch yn chwerthin. Cadwodd y tad at ei air, ac fe gafodd Huwi briodi ei ferch y diwrnod hwnnw.

Aeth Huwi a'i fam i fyw i dŷ'r dyn cyfoethog. A dyna hapus oedd pawb wedyn.

Ni wenodd hi erioed
Nes gwelodd hi Huwi,
Ac wedyn fe gafodd
Y ddau briodi!

⭑ Beti Benwan ⭑

Un tro, roedd ffermwr gwirion gyda gwraig wirion a merch wirionach fyth. Beti Benwan oedd pawb yn ei galw hi.

Pan oedd hi'n hŷn, cyfarfu Beti Benwan â dyn ifanc a gymerodd ffansi ati hi.

Un noson, pan ddaeth draw i'w gweld hi, aeth Beti Benwan i lawr i'r seler i nôl gwydraid o gwrw i'w chariad.

Tra oedd hi'n aros i'r gwydryn lenwi, edrychodd Beti Benwan ar y wal a gweld morthwyl mawr yn hongian ar hoelen. Eisteddodd ar y llawr a dechrau sgrechian crio. "Bw-hw! Bw-hw!" Sôn am sŵn!

Roedd ei mam yn methu deall pam roedd ei merch mor hir yn dod o'r seler. Felly aeth i lawr i chwilio amdani. A dyna lle roedd Beti Benwan yn beichio crio a'r cwrw'n llifo ar hyd y llawr.

"Beth yn y byd mawr sy'n bod?" gofynnodd ei mam.

"O, Mam!" llefodd Beti Benwan. "Edrychwch ar yr hen forthwyl hyll 'na. Beth petai fy nghariad a finnau'n priodi, a beth os cawn ni fab, a beth petai'n dod i lawr i'r seler yma i nôl gwydraid o gwrw, a beth petai'r morthwyl yn syrthio ar ei ben ac yn ei LADD yn farw gelain? Byddai hynny'n ofnadwy! Bw-hw! Bw-hw! Hwwwwww!"

"Ie, y creadur bach," cytunodd ei mam. "Byddai hynny'n ofnadwy!"

Yna eisteddodd mam wirion Beti Benwan i lawr wrth ochr ei merch wirion a dechreuodd hithau grio hefyd. Sôn am halibalŵ!

Cyn bo hir, daeth y tad i lawr i chwilio am ei wraig a'i ferch. Cafodd hyd iddyn nhw'n sgrechian crio a'r cwrw'n dal i lifo ar hyd y llawr.

"Beth yn y byd mawr sy'n bod?" holodd y tad.

"O!" ochneidiodd y wraig wirion. "Edrych ar yr hen forthwyl hyll yna. Beth petai ein merch ni a'i chariad yn priodi, a beth petaen nhw'n cael mab. Beth petai'n dod i lawr i'r seler yma i nôl gwydraid o gwrw, a beth petai'r morthwyl yn syrthio ar ei ben ac yn ei LADD yn farw gelain? Byddai hynny'n ofnadwy!"

“Byddai, wir,” cytunodd y tad gwirion. “Byddai hynny’n beth ofnadwy i ddigwydd.”

Yna eisteddodd y tad gwirion i lawr wrth ochr ei wraig wirion a'i ferch wirion a dechreuodd yntau grio hefyd. "Bw-hw! Hwww!" Dyna i chi randibŵ oedd yno!

O'r diwedd daeth y dyn ifanc i chwilio amdanyn nhw.

Cafodd hyd i bawb yn eistedd mewn rhes yn crio ac yn ochneidio, a'r cwrw'n *dal* i lifo ar hyd y llawr.

Y peth cyntaf wnaeth y dyn ifanc oedd cau'r tap. Yna gofynnodd iddyn nhw pam roedden nhw'n crio.

"Newyddion drwg iawn," meddai'r tad. "Edrych ar yr hen forthwyl hyll yna. Beth petait ti a'n merch ni yn priodi, a beth petaech chi'n cael mab, a beth petai'n dod i lawr i'r seler yma i nôl gwydraid o gwrw, a beth petai'r morthwyl yn syrthio ar ei ben ac yn ei LADD yn farw gelain?"

"Byddai hynny'n ofnadwy!"

A dechreuodd pawb feichio crio wedyn.

Pawb ond y dyn ifanc.
Dechreuodd hwnnw chwerthin.
Dyma fo'n estyn y morthwyl i lawr
a'i roi mewn man diogel.

"Wel," meddai. "Dwi wedi crwydro tipyn o le i le ac wedi cyfarfod â llawer o bobl, ond welais i erioed yn fy myw bobl mor wirion â chi. Mi af i grwydro rhagor ac os do' i ar draws tri mwy gwirion na chi, ddo' i yma a phriodi'ch merch."

I ffwrdd â'r dyn ifanc a dod at fwthyn efo glaswellt yn tyfu ar y to, a dynes yn ceisio gwthio buwch i fyny ysgol.

“Beth yn y byd mawr ydych chi’n ei wneud?” gofynnodd y dyn ifanc.

“Dyna gwestiwn twp,” atebodd y wraig. “Weli di’r glaswellt blasus yna’n tyfu ar y to? Ceisio gwneud i’r fuwch fynd i fyny i’w fwyta ydw i, wrth gwrs.”

"Beth am i chi ddringo i fyny?" meddai'r dyn ifanc. "Wedyn torri'r glaswellt a'i daflu i lawr at y fuwch."

Ond roedd y ddynes wirion yn meddwl fod hynny'n syniad gwirion iawn. Felly gadawodd y dyn ifanc iddi straffaglio efo'r fuwch ac aeth i grwydro eto.

Cyn bo hir gwelodd ddyn yn ceisio gwisgo amdano. Roedd wedi hongian ei drowsus ar goeden. Wedyn roedd yn rhedeg ac yn neidio i'r awyr er mwyn ceisio mynd i mewn i'r trowsus. Roedd yn chwys domen.

"Peth trafferthus ydi gwisgo trowsus," meddai. "Wn i ddim pwy feddyliodd am y fath beth. Dwi'n blino'n lân wrth wisgo bob bore."

Chwarddodd y dyn ifanc. Yna dangosodd i'r dyn sut y byddai *o*'n rhoi ei drowsus amdano.

"Wel wir," meddai'r dyn gwirion. "Faswn i byth wedi meddwl am hynny." Fo oedd yr ail berson gwirion i'r dyn ifanc ei gyfarfod.

Wedyn daeth
ar draws criw
o bysgotwyr
pryderus yr
olwg. "Fedra i
fod o help?"
gofynnodd.
Eglurodd un
pysgotwr
eu bod nhw
wedi cael
diwrnod da
o bysgota
ond bellach
roedd hi'n
bryd mynd
adref ac roedd
un ohonyn nhw
ar goll.

"Mae'n rhaid bod un ohonon ni wedi boddi," meddai. "Roedd deg ohonon ni'n cychwyn bore heddiw, ond dim ond naw sydd yma erbyn hyn. Edrych. Mi ddangosa i i ti." Dechreuodd gyfri ei ffrindiau: "Un, dau, tri, pedwar, pump, chwech, saith, wyth, naw!"

(Ond doedd y dyn gwirion ddim wedi meddwl cyfri fo 'i hun.)

"Dwi'n meddwl y medra *i* gael hyd i'ch ffrind chi," meddai'r dyn ifanc gan wenu. Cyfrodd bob un o'r pysgotwyr ac wrth wneud hynny, trawodd ei law ar ben pob un, gan obeithio ei fod yn curo tipyn o synnwyr i'w pennau.

"Un, dau, tri, pedwar, pump…

chwech, saith, wyth, naw, deg!"

"Bendith ar eich pen chi, syr," meddai'r pygotwyr gwirion. "Diolch am gael hyd i'n ffrind ni."

Felly, erbyn hyn roedd y dyn ifanc wedi cyfarfod criw o rai gwirion – rhai gwaeth o lawer na'r tri yr oedd wedi'u gadael gartref.

Cadwodd at ei air. Trodd ar ei sawdl a mynd yn ôl i briodi Beti Benwan. A rhoddodd hynny daw ar ei chrio yn fuan iawn.

Sôn am chwerthin nes yn wan
Am eu bod yn hanner pan;
Doniol, gwirion, hurt a digri
Pobl felly oedd yn y stori.

Os cawsoch chi flas ar y straeon yn y llyfr hwn, beth am ddarllen rhagor ohonyn nhw yn y gyfres Gwalch Balch?